圖書在版編目（CIP）數據

文心雕龍 /（南北朝）劉勰著. -- 揚州 : 廣陵書社
，2010.12（2018.7 重印）
（文華叢書）
ISBN 978-7-80694-655-8

Ⅰ. ①文… Ⅱ. ①劉… Ⅲ. ①文學理論－中國－南朝
時代 Ⅳ. ①I206.2

中國版本圖書館CIP數據核字(2010)第260657號

文心雕龍

著　　者　（南北朝）劉　勰
責任編輯　嚴　嵐
出 版 人　曾學文
出版發行　廣陵書社
社　　址　揚州市維揚路三四九號
郵　　編　二二五〇〇九
電　　話　（〇五一四）八五二二八〇八八　八五二二八〇八九
印　　刷　常州市金壇古籍印刷廠有限公司
版　　次　二〇一〇年十二月第一版
印　　次　二〇一八年七月第六次印刷
標準書號　ISBN 978-7-80694-655-8
定　　價　壹佰貳拾圓整（全貳册）

http://www.yzglpub.com　E-mail:yzglss@163.com

文心雕龍

（南北朝）劉　勰　著

廣陵書社

中國・揚州

文華叢書序

時代變遷，經典之風采不衰；文化演進，傳統之魅力更著。古人有登高懷遠之慨，今人有探幽訪勝之思。在印刷裝幀技術日新月异的今天，國粹綫裝書的踪迹愈來愈難尋覓，給傾慕傳統的讀書人帶來了不少惆悵和遺憾。我們編印《文華叢書》，實是爲喜好傳統文化的士子提供精神的享受和慰藉。

叢書立意是將傳統文化之精華萃于一編。以内容言，所選均爲經典名著，自諸子百家、詩詞散文以至蒙學讀物、明清小品，咸予收羅，經數年之積纍，已蔚然可觀。以形式言，則采用激光照排，文字大方，版式疏朗，宣紙精印，綫裝裝幀，讀來令人賞心悦目。同時，爲方便更多的讀者購買，復盡量降低成本、降低定價，好讓綫裝珍品更多地進入尋常百姓人家。

可以想像，讀者于忙碌勞頓之餘，安坐窗前，手捧一册古樸精巧的綫裝書，細細把玩，静静研讀，如沐春風，如品醇釀……此情此景，令人神往。

讀者對于綫裝書的珍愛使我們感受到傳統文化的魅力。近年來，叢書中的許多品種均一再重印。爲方便讀者閲讀收藏，特進行改版，將開本略作調整，擴大成書尺寸，以使版面更加疏朗美觀。相信《文華叢書》會赢得越來越多讀者的喜愛。

有《文華叢書》相伴，可享受高品位的生活。

廣陵書社編輯部

二〇〇九年三月

出版説明

劉勰(約四六五—約五三二),字彦和,南朝齊梁時人,世居京口。少時家貧,曾依隨僧侣生活,精通佛典。梁初受太子蕭統賞識,任通事舍人。後出家,法名慧地。劉勰受儒家思想和佛教影響都很深,但在《文心雕龍》中,是以儒家思想爲主導的,兼有佛教詞語。

《文心雕龍》寫成于齊代,『文心』意即『寫作文章的用心』,『雕龍』則指如同雕刻龍紋一樣精細的研討,合起來即是『寫作文章的精義』。書的本意是寫作指南,所以廣泛涉及到了各種問題,結構嚴謹,論述周詳,旁徵博引,系統完整。

全書五十篇,可分爲五個部分。《原道》到《辨騷》五篇爲第一部分,是全書的總綱。這裏作者對『文學』這一事物的本質進行了理論説明,賦予了文學崇高的意義,也説明了自己的美學思想,就是建立一種雅正而又富于美感的文學準則。《明詩》到《書記》二十篇爲第二部分,分數各種文體的源流、特點和寫作應遵循的基本準則。《神思》到《總術》爲第三部分,通論文章寫作中的各種問題,包括構思、風格、修辭、新變等方方面面,包羅宏富。《時序》到《程器》五篇爲第四部分,這裏脱離了具體的寫作,而是從更廣泛的範圍來討論有關文學文體的問題,如文學發展的盛衰、文學鑒賞的標準、文學與自然景物的關係等等。最後《序志》一篇爲第五部分,説明寫作緣起和宗旨。總之,《文心雕龍》是中國古代文學理論的一次創造性的總結,意義十分重大。

《文心雕龍》一書問世以來即受到廣泛歡迎,校訂翻印,版本衆多。我社現以黄叔琳校本爲底本進行標點整理，宣紙印刷，綫裝出版，希望帶給讀者知識與心靈的雙重享受。

廣陵書社編輯部

二〇一〇年十月

目錄

文華叢書序
出版説明
上册
原道第一……一
徵聖第二……二
宗經第三……四
正緯第四……五
辨騷第五……七
明詩第六……九
樂府第七……一一
詮賦第八……一三
頌讚第九……一四
祝盟第十……一六
銘箴第十一……一八
誄碑第十二……一九
哀弔第十三……二一
雜文第十四……二二
諧隱第十五……二四
史傳第十六……二六
諸子第十七……二九
論説第十八……三一
詔策第十九……三三
檄移第二十……三五
封禪第二十一……三七
章表第二十二……三八
奏啓第二十三……四〇
議對第二十四……四二
書記第二十五……四四
下册
神思第二十六……四八
體性第二十七……四九
風骨第二十八……五一
通變第二十九……五二
定勢第三十……五四
情采第三十一……五六
鎔裁第三十二……五七
聲律第三十三……五九
章句第三十四……六〇
麗辭第三十五……六二

比興第三十六……六四
夸飾第三十七……六五
事類第三十八……六七
練字第三十九……六九
隱秀第四十……七一
指瑕第四十一……七三
養氣第四十二……七四
附會第四十三……七六
總術第四十四……七七
時序第四十五……七九
物色第四十六……八二
才略第四十七……八三
知音第四十八……八六
程器第四十九……八八
序志第五十……九〇

原道第一

文之爲德也大矣，與天地并生者何哉？夫玄黄色雜，方圓體分，日月疊璧，以垂麗天之象；山川煥綺，以鋪理地之形：此蓋道之文也。仰觀吐曜，俯察含章，高卑定位，故兩儀既生矣。惟人參之，性靈所鍾，是謂三才，爲五行之秀，實天地之心。心生而言立，言立而文明，自然之道也。傍及萬品，動植皆文：龍鳳以藻繪呈瑞，虎豹以炳蔚凝姿；雲霞雕色，有踰畫工之妙；草木賁華，無待錦匠之奇。夫豈外飾，蓋自然耳。至於林籟結響，調如竽瑟；泉石激韻，和若球鍠。故形立則章成矣，聲發則文生矣。夫以無識之物，鬱然有彩，有心之器，其無文歟？

人文之元，肇自太極，幽贊神明，《易》象惟先。庖犧畫其始，仲尼翼其終。而乾坤兩位，獨制《文言》。言之文也，天地之心哉！若乃河圖孕乎八卦，洛書韞乎九疇，玉版金鏤之實，丹文緑牒之華，誰其尸之，亦神理而已。自鳥迹代繩，文字始炳，炎皞遺事，紀在《三墳》，而年世渺邈，聲采靡追。唐虞文章，則煥乎始盛。元首載歌，既發吟詠之志；益稷陳謨，亦垂敷奏之風。夏后氏興，業峻鴻績，九序惟歌，勛德彌縟。逮及商周，文勝其質，《雅》、《頌》所被，英華日新。文王患憂，繇辭炳曜，符采複隱，精義堅深。重以公旦多材，振其徽烈，剬詩緝頌，斧藻群言。至夫子繼聖，獨秀前哲，鎔鈞六經，必金聲而玉振；雕琢情性，組織辭令，木鐸起而千里應，席珍流而萬世響，寫天地之輝光，曉生民之耳目矣。

爰自風姓，暨於孔氏，玄聖創典，素王述訓：莫不原道心以敷章，研神理而設教，取象乎河洛，問數乎蓍龜，觀天文以極變，察人文以成化；然後能經緯區宇，彌綸彝憲，發輝事業，彪炳辭義。故知道沿聖以垂文，聖因文而明道，旁通而無滯，日用而不匱。《易》曰：『鼓天下之動者存乎辭。』辭之所以能鼓天下者，乃道之文也。

贊曰：道心惟微，神理設教。光采玄聖，炳耀仁孝。龍圖獻體，龜書呈貌。天文斯觀，民胥以效。

徵聖第二

夫作者曰聖，述者曰明，陶鑄性情，功在上哲，夫子文章，可得而聞，則聖人之情，見乎文辭矣。先王聖化，布在方册；夫子風采，溢於格言。是以遠稱唐世，則煥乎爲盛；近褒周代，則郁哉可從：此政化貴文之徵也。鄭伯入陳，以文辭爲功；宋置折俎，以多文舉禮：此事迹貴文之徵也。褒美子産，則云『言以足志，文以足言』；泛論君子，則云『情欲信，辭欲巧』：此修身貴文之徵也。然則志足而言文，情信而辭巧，乃含章之玉牒，秉文之金科矣。夫鑒周日月，妙極機神；文成規矩，思合符契。或簡言以達旨，或博文以該情，或明理以立體，或隱義以藏用。故《春秋》一字以褒貶，喪服舉輕以包重，此簡言以達旨也。

《邠詩》聯章以積句，《儒行》縟説以繁辭，此博文以該情也。書契斷決以象夬，文章昭晰以象離，此明理以立體也。四象精義以曲隱，五例微辭以婉晦，此隱義以藏用也。故知繁略殊形，隱顯异術，抑引隨時，變通會適，徵之周孔，則文有師矣。

是以子政論文，必徵于聖；稚圭勸學，必宗于經。《易》稱『辨物正言，斷辭則備』，《書》云『辭尚體要，弗惟好异』。故知正言所以立辯，體要所以成辭，辭成無好异之尤，辯立有斷辭之義。雖精義曲隱，無傷其正言；微辭婉晦，不害其體要。體要與微辭偕通，正言共精義并用；聖人之文章，亦可見也。顔闔以爲仲尼飾羽而畫，徒事華辭。雖欲訾聖，弗可得已。然則聖文之雅麗，固銜華而佩實者也。天道難聞，猶或鑚仰；文章可見，胡寧勿思？若徵聖立言，則文其庶矣。

贊曰：妙極生知，睿哲惟宰。精理爲文，秀氣成采。鑒懸日月，辭富山海。百齡影徂，千載心在。

宗經第三

三極彝訓，其書言經。經也者，恒久之至道，不刊之鴻教也。故象天地，效鬼神，參物序，制人紀，洞性靈之奥區，極文章之骨髓者也。皇世《三墳》，帝代《五典》，重以《八索》，申以《九丘》。歲歷綿曖，條流紛糅。自夫子删述，而大寶咸耀。於是《易》張十翼，《書》標七觀，《詩》列四始，《禮》正五經，《春秋》五例，義既極乎性情，辭亦匠於文理，故能開學養正，昭明有融。然而道心惟微，聖謨卓絶，墻宇重峻，而吐納自深。譬萬鈞之洪鍾，無錚錚之細響矣。

夫《易》惟談天，入神致用。故《繫》稱旨遠辭文，言中事隱，韋編三絶，固哲人之驪淵也。《書》實記言，而訓詁茫昧，通乎《爾雅》，則文意曉然。故子夏嘆《書》『昭昭若日月之明，離離如星辰之行』，言昭灼也。《詩》主言志，詁訓同《書》，摛風裁興，藻辭譎喻，温柔在誦，故最附深衷矣。《禮》以立體，據事制範，章條纖曲，執而後顯，采掇生言，莫非寶也。《春秋》辨理，一字見義，五石六鷁，以詳略成文；雉門兩觀，以先後顯旨；其婉章志晦，諒以邃矣。《尚書》則覽文如詭，而尋理即暢；《春秋》則觀辭立曉，而訪義方隱。此聖人之殊致，表裏之异體者也。

至根柢槃深，枝葉峻茂，辭約而旨豐，事近而喻遠，是以往者雖舊，餘味日新，後進追取而非晚，前修文用而未先，可謂太山遍雨，河潤千里者也。

故論説辭序，則《易》統其首；詔策章奏，則《書》發其源；賦頌謌讚，則《詩》立其本；銘誄箴祝，則《禮》總其端；紀傳銘檄，則《春秋》

爲根：并窮高以樹表，極遠以啓疆，所以百家騰躍，終入環内者也。若禀經以製式，酌雅以富言，是仰山而鑄銅，煮海而爲鹽也。故文能宗經，體有六義：一則情深而不詭，二則風清而不雜，三則事信而不誕，四則義直而不回，五則體約而不蕪，六則文麗而不淫。揚子比雕玉以作器，謂五經之含文也。夫文以行立，行以文傳，四教所先，符采相濟，勵德樹聲，莫不師聖。而建言修辭，鮮克宗經。是以楚艷漢侈，流弊不還，正末歸本，不其懿歟！

贊曰：三極彝道，訓深稽古。致化歸一，分教斯五。性靈鎔匠，文章奥府。淵哉鑠乎，群言之祖。

正緯第四

夫神道闡幽，天命微顯，馬龍出而大《易》興，神龜見而《洪範》耀。故《繫辭》稱『河出圖，洛出書，聖人則之』，斯之謂也。但世夐文隱，好生矯誕，真雖存矣，僞亦憑焉。

夫六經彪炳，而緯候稠疊；《孝》、《論》昭哲，而《鉤》、《讖》葳蕤。按經驗緯，其僞有四：蓋緯之成經，其猶織綜，絲麻不雜，布帛乃成；今經正緯奇，倍摘千里，其僞一矣。經顯，聖訓也；緯隱，神教也。聖訓宜廣，神教宜約；而今緯多於經，神理更繁，其僞二矣。有命自天，乃稱符讖，而八十一篇皆託於孔子，則是堯造緑圖，昌制丹書，其僞三矣。商周以前，圖籙頻見，春秋之末，群經方備，先緯後經，體乖織綜，其僞四矣。僞既倍摘，則義异自明，經足訓矣，緯何豫焉？

原夫圖籙之見，乃昊天休命，事以瑞聖，義非配經。故河不出圖，夫子有嘆，如或可造，無勞喟然。昔康王河圖，陳於東序，故知前世符命，歷代寶傳，仲尼所撰，序録而已。於是伎數之士，附以詭術，或説陰陽，或序灾异，若鳥鳴似語，蟲葉成字，篇條滋蔓，必假孔氏，通儒討核，謂起哀平，東序祕寶，朱紫亂矣。至於光武之世，篤信斯術，風化所靡，學者比肩，沛獻集緯以通經，曹褒撰讖以定禮，乖道謬典，亦已甚矣。是以桓譚疾其虚僞，尹敏戲其深瑕，張衡發其僻謬，荀悦明其詭誕，四賢博練，論之精矣。

若乃羲農軒皥之源，山瀆鍾律之要，白魚赤烏之符，黄金紫玉之瑞，事豐奇偉，辭富膏腴，無益經典，而有助文章。是以後來辭人，採摭英華。平子恐其迷學，奏令禁絶；仲豫惜其雜真，未許煨燔。前代配經，故詳論焉。

贊曰：榮河温洛，是孕圖緯。神寶藏用，理隱文貴。世歷二漢，朱紫騰沸。芟夷譎詭，糅其雕蔚。

辨騷第五

自《風》、《雅》寢聲，莫或抽緒，奇文鬱起，其《離騷》哉！固已軒翥詩人之後，奮飛辭家之前，豈去聖之未遠，而楚人之多才乎！昔漢武愛《騷》，而淮南作《傳》，以爲：『《國風》好色而不淫，《小雅》怨誹而不亂，若《離騷》者，可謂兼之；蟬蜕穢濁之中，浮游塵埃之外，皭然涅而不緇，雖與日月争光可也。』班固以爲：『露才揚己，忿懟沉江；羿澆二姚，與左氏不合；崐崘懸圃，非經義所載；然其文辭麗雅，爲詞賦之宗，雖非明哲，可謂妙才。』王逸以爲：『詩人提耳，屈原婉順，《離騷》之文，依經立義。駟虬乘翳，則時乘六龍；崐崘流沙，則《禹貢》敷土。名儒辭賦，莫不擬其儀表。所謂「金相玉質，百世無匹」者也。』及漢宣嗟嘆，以爲『皆合經術』；揚雄諷味，亦言『體同詩雅』。四家舉以方經，而孟堅謂不合傳，褒貶任聲，抑揚過實，可謂鑒而弗精，玩而未核者也。

將核其論，必徵言焉。故其陳堯舜之耿介，稱湯武之祗敬，典誥之體也；譏桀紂之猖披，傷羿澆之顛隕，規諷之旨也；虬龍以喻君子，雲蜺以譬讒邪，比興之義也；每一顧而掩涕，嘆君門之九重，忠怨之辭也：觀茲四事，同於《風》、《雅》者也。至於託雲龍，説迂怪，豐隆求宓妃，鴆鳥媒娀女，詭异之辭也；康回傾地，夷羿彈日，木夫九首，土伯三目，譎怪之談也；依彭咸之遺則，從子胥以自適，狷狹之志也；士女雜坐，亂而不分，指以爲樂，娱酒不廢，沉湎日夜，舉以爲歡，荒淫之意也：摘此四事，异乎經典者也。故論其典誥則如彼，語其夸誕則如此，固知《楚辭》者，體慢於三代，而風雅於戰國，乃《雅》、《頌》之博徒，而詞賦之英傑也。觀其骨鯁所樹，肌膚所附，雖取鎔經意，亦自鑄偉辭。故《騷經》、《九章》，朗麗以哀志；《九歌》、《九辯》，綺靡以傷情；《遠遊》、《天問》，瑰詭而惠巧，《招魂》、《招隱》，耀艷而深華；《卜居》標放言之致，《漁父》寄獨往之才。故能氣往轢古，辭來切今，驚采絶艷，難與并能矣。

自《九懷》以下，遽躡其迹，而屈宋逸步，莫之能追。故其敘情怨，則鬱伊而易感；述離居，則愴快而難懷；論山水，則循聲而得貌；言節候，則披文而見時。是以枚賈追風以入麗，馬揚沿波而得奇，其衣被詞人，非一代也。故才高者菀其鴻裁，中巧者獵其艷辭，吟諷者銜其山川，童蒙者拾其香草。若能憑軾以倚《雅》、《頌》，懸轡以馭楚篇，酌奇而不失其真，玩華而不墜其實，則顧盼可以驅辭力，欬唾可以窮文致，亦不復乞靈於長卿，假寵於子淵矣。

贊曰：不有屈原，豈見《離騷》。驚才風逸，壯志煙高。山川無極，情理實勞。金相玉式，艷溢錙毫。

明詩第六

大舜云：『詩言志，歌永言。』聖謨所析，義已明矣。是以『在心爲志，發言爲詩』，舒文載實，其在兹乎！詩者，持也，持人情性；三百之蔽，義歸『無邪』，持之爲訓，有符焉爾。

人禀七情，應物斯感，感物吟志，莫非自然。昔葛天氏樂辭云：《玄鳥》在曲，黄帝《雲門》，理不空綺。至堯有《大唐》之歌，舜造《南風》之詩，觀其二文，辭達而已。及大禹成功，九序惟歌；太康敗德，五子咸怨：順美匡惡，其來久矣。自商暨周，《雅》、《頌》圓備，四始彪炳，六義環深。子夏監絢素之章，子貢悟琢磨之句，故商賜二子，可與言詩。自王澤殄竭，風人輟采，春秋觀志，諷誦舊章，酬酢以爲賓榮，吐

納而成身文。逮楚國諷怨，則《離騷》爲刺。秦皇滅典，亦造《仙詩》。

漢初四言，韋孟首唱，匡諫之義，繼軌周人。孝武愛文，柏梁列韻。嚴馬之徒，屬辭無方。至成帝品録，三百餘篇，朝章國采，亦云周備；而辭人遺翰，莫見五言，所以李陵、班婕妤見疑於後代也。按《召南·行露》，始肇半章；孺子《滄浪》，亦有全曲；《暇豫》優歌，遠見春秋；《邪徑》童謡，近在成世；閲時取證，則五言久矣。又古詩佳麗，或稱枚叔，其《孤竹》一篇，則傅毅之詞，比采而推，兩漢之作乎？觀其結體散文，直而不野，婉轉附物，怊悵切情，實五言之冠冕也。至於張衡《怨篇》，清典可味；仙詩緩歌，雅有新聲。

暨建安之初，五言騰踊，文帝陳思，縱轡以騁節；王徐應劉，望路而争驅。并憐風月，狎池苑，述恩榮，叙酣宴，慷慨以任氣，磊落以使

才；造懷指事，不求纖密之巧；驅辭逐貌，唯取昭晰之能：此其所同也。乃正始明道，詩雜仙心，何晏之徒，率多浮淺。唯嵇志清峻，阮旨遥深，故能標焉。若乃應璩百一，獨立不懼，辭譎義貞，亦魏之遺直也。晉世群才，稍入輕綺，張潘左陸，比肩詩衢，采縟於正始，力柔於建安，或析文以爲妙，或流靡以自妍，此其大略也。江左篇製，溺乎玄風，嗤笑徇務之志，崇盛亡機之談；袁孫已下，雖各有雕采，而辭趣一揆，莫與争雄，所以景純仙篇，挺拔而爲俊矣。宋初文詠，體有因革，莊老告退，而山水方滋；儷采百字之偶，争價一句之奇，情必極貌以寫物，辭必窮力而追新，此近世之所競也。

故鋪觀列代，而情變之數可監；撮舉同异，而綱領之要可明矣。若夫四言正體，則雅潤爲本；五言流調，則清麗居宗；華實异用，惟才所安。故平子得其雅，叔夜含其潤，茂先凝其清，景陽振其麗；兼善則子建仲宣，偏美則太沖公幹。然詩有恒裁，思無定位，隨性適分，鮮能通圓。若妙識所難，其易也將至；忽之爲易，其難也方來。至於三六雜言，則出自篇什；離合之發，則明於圖讖；回文所興，則道原爲始；聯句共韻，則柏梁餘製；巨細或殊，情理同致，總歸詩囿，故不繁云。

贊曰：民生而志，詠歌所含。興發皇世，風流二南。神理共契，政序相參。英華彌縟，萬代永耽。

樂府第七

樂府者，聲依永，律和聲也。鈞天九奏，既其上帝；葛天八闋，爰乃皇時。自咸英以降，亦無得而論矣。至於塗山歌於候人，始爲南音；有娀謠乎飛燕，始爲北聲；夏甲嘆於東陽，東音以發；殷整思於西河，西音以興：音聲推移，亦不一概矣。匹夫庶婦，謳吟土風，詩官採言，樂盲被律，志感絲篁，氣變金石。是以師曠覘風於盛衰，季札鑒微於興廢，精之至也。

夫樂本心術，故響浹肌髓，先王慎焉，務塞淫濫。敷訓胄子，必歌九德，故能情感七始，化動八風。自雅聲浸微，溺音騰沸，秦燔《樂經》，漢初紹復，制氏紀其鏗鏘，叔孫定其容與，於是《武德》興乎高祖，《四

時》廣於孝文，雖摹《韶》、《夏》，而頗襲秦舊，中和之響，闃其不還。暨武帝崇禮，始立樂府，總趙代之音，撮齊楚之氣。延年以曼聲協律，朱馬以騷體製歌。《桂華》雜曲，麗而不經，《赤雁》群篇，靡而非典。河間薦雅而罕御，故汲黯致譏於天馬也。至宣帝雅頌，詩效《鹿鳴》。邇及元成，稍廣淫樂，正音乖俗，其難也如此。暨後郊廟，惟雜雅章，辭雖典文，而律非夔曠。

至於魏之三祖，氣爽才麗，宰割辭調，音靡節平。觀其北上衆引，《秋風》列篇，或述酣宴，或傷羈戍，志不出於淫蕩，辭不離於哀思，雖三調之正聲，實《韶》、《夏》之鄭曲也。逮於晉世，則傅玄曉音，創定雅歌，以詠祖宗；張華新篇，亦充庭萬。然杜夔調律，音奏舒雅，荀勖改懸，聲節哀急。故阮咸譏其離聲，後人驗其銅尺，和樂精妙，固表裏而

相資矣。故知詩爲樂心，聲爲樂體；樂體在聲，瞽師務調其器；樂心在詩，君子宜正其文。『好樂無荒』，晉風所以稱遠；『伊其相謔』，鄭國所以云亡。故知季札觀辭，不直聽聲而已。

若夫艷歌婉孌，怨志詄絶，淫辭在曲，正響焉生？然俗聽飛馳，職競新异，雅詠温恭，必欠伸魚睨；奇辭切至，則拊髀雀躍：詩聲俱鄭，自此階矣。凡樂辭曰詩，詩聲曰歌，聲來被辭，辭繁難節；故陳思稱李延年閑於增損古辭，多者則宜減之，明貴約也。觀高祖之詠《大風》，孝武之嘆《來遲》，歌童被聲，莫敢不協；子建士衡，咸有佳篇，并無詔伶人，故事謝絲管，俗稱乖調，蓋未思也。至於斬伎〔軒岐〕鼓吹，漢世鐃挽，雖戎喪殊事，而并總入樂府，繆襲所致，亦有可算焉。昔子政品文，詩與歌別，故略具樂篇，以標區界。

贊曰：八音摛文，樹辭爲體。謳吟坰野，金石雲陛。韶響難追，鄭聲易啓。豈惟觀樂，於焉識禮。

詮賦第八

《詩》有六義，其二曰賦。賦者，鋪也，鋪采摛文，體物寫志也。昔邵公稱：『公卿獻詩，師箴〔瞍〕賦。』傳云：『登高能賦，可爲大夫。』詩序則同義，傳説則异體，總其歸塗，實相枝幹。故劉向云明不歌而頌，班固稱『古詩之流也』。至如鄭莊之賦《大隧》，士蔿之賦《狐裘》，結言𢭃韻，詞自己作，雖合賦體，明而未融。及靈均唱《騷》，始廣聲貌。然賦也者，受命於詩人，拓宇於《楚辭》也。於是荀况《禮》、《智》，宋玉《風》、《釣》，爰錫名號，與詩畫境，六義附庸，蔚成大國。遂客主以首引，極聲貌以窮文，斯蓋別詩之原始，命賦之厥初也。

秦世不文，頗有雜賦。漢初詞人，順流而作，陸賈扣其端，賈誼振

其緒，枚馬同其風，王揚騁其勢，皋朔已下，品物畢圖。繁積於宣時，校閲於成世，進御之賦，千有餘首，討其源流，信興楚而盛漢矣。夫京殿苑獵，述行序志，并體國經野，義尚光大，既履端於倡序，亦歸餘於總亂。序以建言，首引情本；亂以理篇，迭致文契。按《那》之卒章，閔馬稱亂，故知殷人輯頌，楚人理賦，斯并鴻裁之寰域，雅文之樞轄也。至於草區禽族，庶品雜類，則觸興致情，因變取會，擬諸形容，則言務纖密；象其物宜，則理貴側附；斯又小制之區畛，奇巧之機要也。

觀夫荀結隱語，事數自環；宋發巧〔誇〕談，實始淫麗；枚乘《兔園》，舉要以會新；相如《上林》，繁類以成艷；賈誼《鵩鳥》，致辨於情理；子淵《洞簫》，窮變於聲貌；孟堅《兩都》，明絢以雅贍；張衡《二京》，迅發以宏富；子雲《甘泉》，構深瑋之風；延壽《靈光》，含飛動之

勢：凡此十家，并辭賦之英傑也。及仲宣靡密，發端必遒；偉長博通，時逢壯采；太沖安仁，策勛於鴻規；士衡子安，底績於流制；景純綺巧，縟理有餘；彥伯梗概，情韻不匱：亦魏晉之賦首也。

原夫登高之旨，蓋覩物興情。情以物興，故義必明雅；物以情觀，故詞必巧麗。麗詞雅義，符采相勝，如組織之品朱紫，畫繪之著玄黃，文雖新而有質，色雖糅而有本，此立賦之大體也。然逐末之儔，蔑弃其本，雖讀千賦，愈惑體要。遂使繁華損枝，膏腴害骨，無貴風軌，莫益勸戒：此揚子所以追悔於雕蟲，貽誚於霧縠者也。

贊曰：賦自詩出，分歧异派。寫物圖貌，蔚似雕畫。抑滯必揚，言庸無隘。風歸麗則，辭翦美稗。

頌讚第九

四始之至，頌居其極。頌者，容也，所以美盛德而述形容也。昔帝嚳之世，咸墨爲頌，以歌《九韶》。自商已下，文理允備。夫化偃一國謂之風，風正四方謂之雅，容告神明謂之頌。風雅序人，事兼變正；頌主告神，義必純美。魯國以公旦次編，商人以前王追録，斯乃宗廟之正歌，非讌饗之常詠也。《時邁》一篇，周公所製，哲人之頌，規式存焉。夫民各有心，勿壅惟口。晋輿之稱原田，魯民之刺裘鞸，直言不詠，短辭以諷，邱明子高，并諜爲誦，斯則野誦之變體，浸被乎人事矣。及三閭《橘頌》，情采芬芳，比類寓意，又覃及細物矣。至於秦政刻文，爰頌其德，漢之惠景，亦有述容。沿世并作，相繼於時矣。若夫子雲之表充國，孟堅之序戴侯，武仲之美顯宗，史岑之述熹后，或擬《清廟》，或範《駉》、《那》，雖淺深不同，詳略各异，其褒德顯容，典章一也。至於班傅之《北征》、《西巡》，變爲序引，豈不褒過而謬體哉！馬融之《廣成》、《上林》，雅而似賦，何弄文而失質乎！又崔瑗《文學》，蔡邕《樊渠》，并致美於序，而簡約乎篇。摯虞品藻，頗爲精核，至云雜以風雅，而不變旨趣，徒張虚論，有似黄白之僞説矣。及魏晋辨頌，鮮有出轍。陳思所綴，以《皇子》爲標；陸機積篇，惟《功臣》最顯；其褒貶雜居，固末代之訛體也。

原夫頌惟典雅，辭必清鑠，敷寫似賦，而不入華侈之區；敬慎如銘，而异乎規戒之域。揄揚以發藻，汪洋以樹義，唯纖曲巧致，與情而變，其大體所底，如斯而已。

讚者，明也，助也。昔虞舜之祀，樂正重讚，蓋唱發之辭也。及益讚於禹，伊陟讚於巫咸，并颺言以明事，嗟嘆以助辭也。故漢置鴻臚，以唱拜爲讚，即古之遺語也。至相如屬筆，始讚荆軻。及遷《史》固《書》，託讚褒貶。約文以總録，頌體以論辭，又紀傳後評，亦同其名。而仲洽《流別》，謬稱爲述，失之遠矣。及景純注《雅》，動植必讚，義兼美惡，亦猶頌之變耳。然本其爲義，事生奬嘆，所以古來篇體，促而不廣，必結言於四字之句，盤桓乎數韻之辭，約舉以盡情，昭灼以送文，此其體也。發源雖遠，而致用蓋寡，大抵所歸，其頌家之細條乎！

贊曰：容體底頌，勛業垂讚。鏤彩摛文，聲理有爛。年積愈遠，音徽如旦。降及品物，炫辭作玩。

祝盟第十

　　天地定位，祀遍群神，六宗既禋，三望咸秩。甘雨和風，是生黍稷，兆民所仰，美報興焉。犧盛惟馨，本於明德，祝史陳信，資乎文辭。昔伊耆始蜡，以祭八神。其辭云：『土反其宅，水歸其壑，昆蟲無作，草木歸其澤。』則上皇祝文，爰在茲矣。舜之祠田云：『荷此長耜，耕彼南畝，四海俱有。』利民之志，頗形於言矣。至於商履，聖敬日躋，玄牡告天，以萬方罪己，即郊禋之詞也；素車禱旱，以六事責躬，則雩禜之文也。及周之大祝，掌六祝之辭。是以庶物咸生，陳於天地之郊；旁作穆穆，唱於迎日之拜；夙興夜處，言於祔廟之祝；『多福無疆』，布於少牢之饋；宜社類禡，莫不有文。所以寅虔於神祇，嚴恭於宗廟也。春秋已下，黷祀諂祭，祝幣史辭，靡神不至。至於張老成室，致善於歌哭之禱；蒯聵臨戰，獲佑於筋骨之請；雖造次顛沛，必於祝矣。若夫《楚辭·招魂》，可謂祝辭之組纚也。漢之群祀，肅其旨禮，既總碩儒之儀，亦參方士之術。所以秘祝移過，异於成湯之心；侲子驅疫，同乎越巫之祝：禮失之漸也。

　　至如黃帝有祝邪之文，東方朔有罵鬼之書，於是後之譴咒，務於善罵。唯陳思《誥咎》，裁以正義矣。若乃禮之祭祀，事止告饗；而中代祭文，兼讚言行，祭而兼讚，蓋引神而作也。又漢代山陵，哀策流文，周喪盛姬，內史執策。然則策本書贈，因哀而爲文也。是以義同於誄，而文實告神，誄首而哀末，頌體而祝儀，太史所作之讚，因周之祝文也。凡群言發華，而降神務實，修辭立誠，在於無愧。祈禱之式，必誠以敬；祭奠之楷，宜恭且哀：此其大較也。班固之祀濛山，祈禱之誠敬也；潘岳之祭庾婦，奠祭之恭哀也：舉彙而求，昭然可鑒矣。

盟者，明也。騂毛白馬，珠盤玉敦，陳辭乎方明之下，祝告於神明者也。在昔三王，詛盟不及，時有要誓，結言而退。周衰屢盟，以及要契，始之以曹沫，終之以毛遂。及秦昭盟夷，設黃龍之詛；漢祖建侯，定山河之誓。然義存則克終，道廢則渝始，崇替在人，咒何預焉。若夫臧洪歃辭，氣截雲蜺；劉琨鐵誓，精貫霏霜；而無補於晉漢，反爲仇讎。故知信不由衷，盟無益也。夫盟之大體，必序危機，奬忠孝，共存亡，戮心力，祈幽靈以取鑒，指九天以爲正，感激以立誠，切至以敷辭，此其所同也。然非辭之難，處辭爲難。後之君子，宜在殷鑒，忠信可矣，無恃神焉！

贊曰：毖祀欽明，祝史惟談。立誠在肅，脩辭必甘。季代彌飾，絢言朱藍。神之來格，所貴無慚。

銘箴第十一

昔帝軒刻輿几以弼違，大禹勒筍簴而招諫；成湯盤盂，著日新之規，武王户席，題必戒之訓。周公慎言於金人，仲尼革容於欹器，則先聖鑒戒，其來久矣。故銘者，名也，觀器必也正名，審用貴乎盛德。蓋臧武仲之論銘也，曰：『天子令德，諸侯計功，大夫稱伐。』夏鑄九牧之金鼎，周勒肅慎之楛矢，令德之事也；吕望銘功於昆吾，仲山鏤績於庸器，計功之義也；魏顆紀勳於景鐘，孔悝表勤於衛鼎，稱伐之類也。若乃飛廉有石槨之錫，靈公有蒿里之謚，銘發幽石，吁可怪矣！趙靈勒迹於番吾，秦昭刻博於華山，夸誕示後，吁可笑也！詳觀衆例，銘義見矣。至於始皇勒岳，政暴而文澤，亦有疎通之美焉。若班固《燕然》之勒，張昶《華陰》之碣，序亦盛矣。蔡邕銘思，獨冠古今；橋公之鉞，吐納典謨；朱穆之鼎，全成碑文，溺所長也。至如敬通雜器，準矱戒銘，而事非其物，繁略違中。崔駰品物，讚多戒少。李尤積篇，義儉辭碎。著龜神物，而居博弈之中；衡斛嘉量，而在臼杵之末，曾名品之未暇，何事理之能閑哉！魏文九寶，器利辭鈍。唯張載《劍閣》，其才清采，迅足駸駸，後發前至，勒銘岷漢，得其宜矣。

箴者，所以攻疾防患，喻鍼石也。斯文之興，盛於三代。夏商二箴，餘句頗存。及周之辛甲，百官箴〔闕唯《虞箴》〕一篇，體義備焉。迄至春秋，微而未絶。故魏絳諷君於后羿，楚子訓民於在勤。戰代以來，弃德務功，銘辭代興，箴文委絶。至揚雄稽古，始範《虞箴》，作《卿尹》、《州牧》二十五篇。及崔胡補綴，總稱《百官》，指事配位，鞶鑑可徵，信所謂追清風於前古，攀辛甲於後代者也。至於潘勖《符節》，要而失淺；溫嶠《傅臣》，博而患繁；王濟《國子》，引廣事雜；潘尼《乘輿》，義正體蕪：凡斯繼作，鮮有克衷。至於王朗《雜箴》，乃寘巾履，得其戒慎，而失其所施。觀其約文舉要，憲章戒銘，而水火井竈，繁辭不已，志有偏也。

夫箴誦於官，銘題於器，名目雖異，而警戒實同。箴全禦過，故文資确切；銘兼褒讚，故體貴弘潤：其取事也必核以辨，其摛文也必簡而深，此其大要也。然矢言之道蓋闕，庸器之制久淪，所以箴銘異用，罕施於代。惟秉文君子，宜酌其遠大焉。

贊曰：銘實表器，箴惟德軌。有佩於言，無鑒於水。秉茲貞厲，敬言乎履。義典則弘，文約爲美。

誄碑第十二

周世盛德，有銘誄之文。大夫之材，臨喪能誄。誄者，累也；累其德行，旌之不朽也。夏商已前，其詳靡聞。周雖有誄，未被于士。又賤不誄貴，幼不誄長，在萬乘則稱天以誄之。讀誄定謚，其節文大矣。自魯莊戰乘丘，始及于士。逮尼父卒，哀公作誄，觀其慭遺之切，嗚呼之嘆，雖非叡作，古式存焉。至柳妻之誄惠子，則辭哀而韻長矣。暨乎漢世，承流而作。揚雄之誄元后，文實煩穢，沙麓撮其要，而摯疑成篇，安有累德述尊，而闊略四句乎？杜篤之誄，有譽前代。吳誄雖工，而他篇頗疎，豈以見稱光武，而改盼千金哉！傅毅所制，文體倫序；孝山崔瑗，辨絜相參：觀其序事如傳，辭靡律調，固誄之才也。潘岳構意，專師孝山，巧於序悲，易入新切，所以隔代相望，能徵厥聲者也。至如崔駰誄趙，劉陶誄黄，并得憲章，工在簡要。陳思叨名，而體實繁緩，文皇誄末，旨言自陳，其乖甚矣。若夫殷臣誄湯，追褒玄鳥之祚；周史歌文，上闡后稷之烈；誄述祖宗，蓋詩人之則也。至於序述哀情，則觸類而長。傅毅之誄北海，云『白日幽光，雰霧杳冥』，始序致感，遂爲後式，景而效者，彌取於工矣。詳夫誄之爲制，蓋選言録行，傳體而頌文，榮始而哀終。論其人也，曖乎若可觀；道其哀也，悽焉如可傷：此其旨也。

碑者，埤也。上古帝皇，紀號封禪，樹石埤岳，故曰碑也。周穆紀迹于弇山之石，亦古碑之意也。又宗廟有碑，樹之兩楹，事止麗牲，未勒勳績。而庸器漸缺，故後代用碑，以石代金，同乎不朽，自廟徂墳，猶封墓也。自後漢以來，碑碣雲起。才鋒所斷，莫高蔡邕。觀楊賜之碑，骨鯁訓典；陳郭二文，詞無擇言；周乎衆碑，莫非清允。其叙事也該而要，其綴采也雅而澤；清詞轉而不窮，巧義出而卓立；察其爲才，自然而至。孔融所創，有慕伯喈；張陳兩文，辨給足采，亦其亞也。及孫綽爲文，志在碑誄；温王郤庾，辭多枝雜；《桓彝》一篇，最爲辨裁。夫屬碑之體，資乎史才，其序則傳，其文則銘。標序盛德，必見清風之華；昭紀鴻懿，必見峻偉之烈：此碑之制也。夫碑實銘器，銘實碑文，因器立名，事光於誄。是以勒石讚勛者，入銘之域；樹碑述已〔亡〕者，同誄之區焉。

贊曰：寫實追虚，碑誄以立。銘德慕行，文采允集。觀風似面，聽辭如泣。石墨鐫華，頹影豈忒。

哀弔第十三

賦憲之謚，短折曰哀。哀者，依也。悲實依心，故曰哀也。以辭遣哀，蓋不泪之悼，故不在黄髮，必施夭昏。昔三良殉秦，百夫莫贖，事均夭横，《黄鳥》賦哀，抑亦詩人之哀辭乎？暨漢武封禪，而霍子侯暴亡，帝傷而作詩，亦哀辭之類矣。及後漢，汝陽王亡，崔瑗哀辭，始變前式。然履突鬼門，怪而不辭；駕龍乘雲，仙而不哀；又卒章五言，頗似歌謡，亦仿佛乎漢武也。至於蘇慎、張升，并述哀文，雖發其情華，而未極心實。建安哀辭，惟偉長差善，《行女》一篇，時有惻怛。及潘岳繼作，實踵其美。觀其慮善辭變，情洞悲苦，叙事如傳，結言摹詩，促節四言，鮮有緩句；故能義直而文婉，體舊而趣新，《金鹿》、《澤蘭》，莫之或繼也。原夫哀辭大體，情主於痛傷，而辭窮乎愛惜。幼未成德，故譽止於察惠；弱不勝務，故悼加乎膚色。隱心而結文則事愜，觀文而屬心則體奢。奢體爲辭，則雖麗不哀；必使情往會悲，文來引泣，乃其貴耳。

弔者，至也。詩云『神之弔矣』，言神至也。君子令終定謚，事極理哀，故賓之慰主，以至到爲言也。壓溺乖道，所以不弔矣。又宋水鄭火，行人奉辭，國災民亡，故同弔也。及晋築虒臺，齊襲燕城，史趙蘇秦，翻賀爲弔，虐民搆敵，亦亡之道。凡斯之例，弔之所設也。或驕貴而殞身，或狷忿以乖道，或有志而無時，或美才而兼累，追而慰之，并名爲弔。自賈誼浮湘，發憤弔屈，體同而事核，辭清而理哀，蓋首出之作也。及相如之弔二世，全爲賦體，桓譚以爲其言惻愴，讀者嘆息。及平章要切，斷而能悲也。揚雄弔屈，思積功寡，意深文略，故辭韻沈膇。班彪蔡邕，并敏于致語，然影附賈氏，難爲并驅耳。胡阮之弔夷齊，褒而無聞，仲宣所制，譏呵實工。然則胡阮嘉其清，王子傷其隘，各志也。禰衡之弔平子，縟麗而輕清；陸機之弔魏武，序巧而文繁。降斯以下，未有可稱者矣。夫弔雖古義，而華辭未造；華過韻緩，則化而爲賦。固宜正義以繩理，昭德而塞違，割析褒貶，哀而有正，則無奪倫矣。

贊曰：辭定所表，在彼弱弄。苗而不秀，自古斯慟。雖有通才，迷方告控。千載可傷，寓言以送。

雜文第十四

智術之子，博雅之人，藻溢於辭，辭盈乎氣。苑囿文情，故日新殊致。宋玉含才，頗亦負俗，始造《對問》，以申其志，放懷寥廓，氣實使之。及枚乘摛艷，首製《七發》，腴辭雲構，夸麗風駭。蓋七竅所發，發乎嗜欲，始邪末正，所以戒膏粱之子也。揚雄覃思文闊，業深綜述，碎文瑣語，肇爲《連珠》，其辭雖小而明潤矣。凡此三者，文章之枝派，暇豫之末造也。

自《對問》以後，東方朔效而廣之，名爲《客難》，託古慰志，疎而有辨。揚雄《解嘲》，雜以諧謔，迴環自釋，頗亦爲工。班固《賓戲》，含懿采之華；崔駰《達旨》，吐典言之裁；張衡《應間》，密而兼雅；崔寔

《客譏》，整而微質；蔡邕《釋誨》，體奥而文炳；景純《客傲》，情見而采蔚：雖迭相祖述，然屬篇之高者也。至於陳思《客問》，辭高而理疎；庾敳《客咨》，意榮而文悴。斯類甚衆，無所取裁矣。原兹文之設，乃發憤以表志。身挫憑乎道勝，時屯寄於情泰，莫不淵岳其心，麟鳳其采，此立本之大要也。

自《七發》以下，作者繼踵。觀枚氏首唱，信獨拔而偉麗矣。及傅毅《七激》，會清要之工；崔駰《七依》，入博雅之巧；張衡《七辨》，結采綿靡；崔瑗《七厲》，植義純正；陳思《七啓》，取美於宏壯；仲宣《七釋》，致辨於事理。自桓麟《七説》以下，左思《七諷》以上，枝附影從，十有餘家。或文麗而義暌，或理粹而辭駁。觀其大抵所歸，莫不高談宫館，壯語畋獵；窮瑰奇之服饌，極蠱媚之聲色；甘意摇骨體，艷詞動魂識，雖始之以淫侈，而終之以居正，然諷一勸百，勢不自反。子雲所謂『先騁鄭衛之聲，曲終而奏雅』者也。唯《七厲》叙賢，歸以儒道，雖文非拔群，而意實卓爾矣。

自《連珠》以下，擬者間出。杜篤賈逵之曹，劉珍潘勖之輩，欲穿明珠，多貫魚目。可謂壽陵匍匐，非復邯鄲之步；里醜捧心，不關西施之顰矣。唯士衡運思，理新文敏，而裁章置句，廣於舊篇，豈慕朱仲四寸之璫乎！夫文小易周，思閑可贍。足使義明而詞净，事圓而音澤，磊磊自轉，可稱珠耳。

詳夫漢來雜文，名號多品，或典誥誓問，或覽略篇章，或曲操弄引，或吟諷謡詠。總括其名，并歸雜文之區；甄别其義，各入討論之域：類聚有貫，故不曲述。

贊曰：偉矣前修，學堅多飽。負文餘力，飛靡弄巧。枝辭攢映，嘒若參昴。慕嚬之心，於焉祇攪。

諧隱第十五

芮良夫之詩云：『自有肺腸，俾民卒狂。』夫心險如山，口壅若川，怨怒之情不一，歡謔之言無方。昔華元弃甲，城者發睅目之謳；臧紇喪師，國人造侏儒之歌：并嗤戲形貌，内怨爲俳也。又蠶蟹鄙諺，貍首淫哇，苟可箴戒，載於禮典。故知諧辭讔言，亦無弃矣。

諧之言皆也。辭淺會俗，皆悦笑也。昔齊威酣樂，而淳于説甘酒；楚襄讌集，而宋玉賦好色：意在微諷，有足觀者。及優旃之諷漆城，優孟之諫葬馬，并譎辭飾説，抑止昏暴。是以子長編史，列傳滑稽，以其辭雖傾回，意歸義正也。但本體不雅，其流易弊。於是東方枚臯，餔糟啜醨，無所匡正，而詆嫚媟弄，故其自稱爲賦，乃亦俳也；見視如倡，亦有悔矣。至魏文因俳説以著笑書，薛綜憑宴會而發嘲調，雖抃推席，而無益時用矣。然而懿文之士，未免枉轡；潘岳醜婦之屬，束皙賣餅之類，尤而效之，蓋以百數。魏晋滑稽，盛相驅扇，遂乃應瑒之鼻，方於盗削卵；張華之形，比乎握舂杵。曾是莠言，有虧德音，豈非溺者之妄笑，胥靡之狂歌歟？

讔者，隱也；遁辭以隱意，譎譬以指事也。昔還社求拯于楚師，喻眢井而稱麥麴；叔儀乞糧于魯人，歌佩玉而呼庚癸；伍舉刺荆王以大鳥，齊客譏薛公以海魚；莊姬託辭于龍尾，臧文謬書於羊裘：隱語之用，被于紀傳。大者興治濟身，其次弼違曉惑。蓋意生於權譎，而事出於機急，與夫諧辭，可相表裏者也。漢世《隱書》，十有八篇；歆固編文，録之歌末。昔楚莊齊威，性好隱語。至東方曼倩，尤巧辭述。但謬辭詆戲，無益規補。自魏代以來，頗非俳優，而君子嘲隱，化爲謎語。謎也者，迴互其辭，使昏迷也。或體目文字，或圖象品物，纖巧以弄思，淺察以衒辭，義欲婉而正，辭欲隱而顯。荀卿《蠶賦》，已兆其體。至魏文陳思，約而密之，高貴鄉公，博舉品物，雖有小巧，用乖遠大。夫觀古之爲隱，理周要務，豈爲童稚之戲謔，搏髀而抃笑哉！然文辭之有諧讔，譬九流之有小説，蓋稗官所采，以廣視聽。若效而不已，則髡袒而入室，旃孟之石交乎？

贊曰：古之嘲隱，振危釋憊。雖有絲麻，無弃菅蒯。會義適時，頗益諷誡。空戲滑稽，德音大壞。

史傳第十六

開闢草昧，歲紀綿邈，居今識古，其載籍乎！軒轅之世，史有蒼頡，主文之職，其來久矣。《曲禮》曰：史載筆。左右。史者，使也。執筆左右，使之記也。古者，左史記事者，右史記言者。言經則《尚書》，事經則《春秋》。唐虞流于典謨，商夏被于誥誓。自周命維新，姬公定法，紬三正以班曆，貫四時以聯事，諸侯建邦，各有國史，彰善癉惡，樹之風聲。自平王微弱，政不及雅，憲章散紊，彝倫攸斁。昔者夫子閔王道之缺，傷斯文之墜，静居以嘆鳳，臨衢而泣麟，於是就太師以正《雅》、《頌》，因魯史以修《春秋》，舉得失以表黜陟，徵存亡以標勸戒；褒見一字，貴踰軒冕；貶在片言，誅深斧鉞。然睿旨存亡幽隱，經文婉約，

丘明同時，實得微言，乃原始要終，創爲傳體。傳者，轉也；轉受經旨，以授於後，實聖文之羽翮，記籍之冠冕也。

及至從横之世，史職猶存。秦并七王，而戰國有策。蓋録而弗叙，故即簡而爲名也。漢滅嬴項，武功積年，陸賈稽古，作《楚漢春秋》。爰及太史談，世惟執簡；子長繼志，甄序帝勣。比堯稱典，則位雜中賢；法孔題經，則文非元聖。故取式《吕覽》，通號曰紀，紀綱之號，亦宏稱也。故《本紀》以述皇王，《列傳》以總侯伯，《八書》以鋪政體，《十表》以譜年爵，雖殊古式，而得事序焉。爾其實録無隱之旨，博雅弘辯之才，愛奇反經之尤，條例踳落之失，叔皮論之詳矣。及班固述漢，因循前業，觀司馬遷之辭，思實過半。其《十志》該富，讚序弘麗，儒雅彬彬，信有遺味。至於宗經矩聖之典，端緒豐贍之功，遺親攘美之罪，徵賄鬻

筆之愆，公理辨之究矣。觀夫左氏綴事，附經間出，於文爲約，而氏族難明。及史遷各傳，人始區詳而易覽，述者宗焉。及孝惠委機，吕后攝政，班史立紀，違經失實。何則？庖犧以來，未聞女帝者也。漢運所值，難爲後法。牝雞無晨，武王首誓；婦無與國，齊桓著盟；宣后亂秦，吕氏危漢：豈唯政事難假，亦名號宜慎矣。張衡司史，而惑同遷固，元帝王后，欲爲立紀，謬亦甚矣。尋子弘雖僞，要當孝惠之嗣；孺子誠微，實繼平帝之體：二子可紀，何有於二后哉？

至於《後漢》紀傳，發源《東觀》。袁張所製，偏駁不倫。薛謝之作，疎謬少信。若司馬彪之詳實，華嶠之準當，則其冠也。及魏代三雄，記傳互出。《陽秋》、《魏略》之屬，《江表》、《吴録》之類，或激抗難徵，或疎闊寡要。唯陳壽《三志》，文質辨洽，荀張比之於遷固，非妄譽也。

至於晉代之書，繁乎著作。陸機肇始而未備，王韶續末而不終，干寶述《紀》，以審正得序；孫盛《陽秋》，以約舉爲能。按《春秋經傳》，舉例發凡。自《史》、《漢》以下，莫有準的。至鄧璨《晉紀》，始立條例，又擺落漢魏，憲章殷周，雖湘川曲學，亦有心典謨。及安國立例，乃鄧氏之規焉。

原夫載籍之作也，必貫乎百氏，被之千載，表徵盛衰，殷鑒興廢；使一代之制，共日月而長存；王霸之迹，并天地而久大。是以在漢之初，史職爲盛。郡國文計，先集太史之府，欲其詳悉於體國。必閲石室，啓金匱，抽裂帛，檢殘竹，欲其博練於稽古也。是立義選言，宜依經以樹則；勸戒與奪，必附聖以居宗，然後詮評昭整，苛濫不作矣。然紀傳爲式，編年綴事，文非泛論，按實而書，歲遠則同异難密，事積則起訖易疎，斯固總會之爲難也。或有同歸一事，而數人分功，兩記則失於複重，偏舉則病於不周，此又銓配之未易也。故張衡摘史班之舛濫，傳玄譏《後漢》之尤煩，皆此類也。

若夫追述遠代，代遠多僞。公羊高云『傳聞異辭』，荀況稱『録遠略近』，蓋文疑則闕，貴信史也。然俗皆愛奇，莫顧實理。傳聞而欲偉其事，録遠而欲詳其迹，於是弃同即异，穿鑿傍説，舊史所無，我書則傳，此訛濫之本源，而述遠之巨蠹也。至於記編同時，時同多詭，雖定哀微辭，而世情利害。勳榮之家，雖庸夫而盡飾；迍敗之士，雖令德而常嗤，理欲吹霜煦露，寒暑筆端，此又同時之枉，可爲嘆息者也。故述遠則誣矯如彼，記近則回邪如此，析理居正，唯素心乎！

若乃尊賢隱諱，固尼父之聖旨，蓋纖瑕不能玷瑾瑜也；奸慝懲戒，實良史之直筆，農夫見莠，其必鋤也：若斯之科，亦萬代一準焉。至於尋繁領雜之術，務信弃奇之要，明白頭訖之序，品酌事例之條，曉其大綱，則衆理可貫。然史之爲任，乃彌綸一代，負海内之責，而贏是非之尤，秉筆荷擔，莫此之勞。遷、固通矣，而歷詆後世。若任情失正，文其殆哉！

贊曰：史肇軒黄，體備周孔。世歷斯編，善惡偕總。騰褒裁貶，萬古魂動。辭宗丘明，直歸南董。

諸子第十七

諸子者，入道見志之書。太上立德，其次立言。百姓之群居，苦紛雜而莫顯；君子之處世，疾名德之不章。唯英才特達，則炳曜垂文，騰其姓氏，懸諸日月焉。昔風后、力牧、伊尹，咸其流也。篇述者，蓋上古遺語，而戰伐所記者也。至鬻熊知道，而文王諮詢，餘文遺事，録爲《鬻子》。子自肇始，莫先於兹。及伯陽識禮，而仲尼訪問，爰序道德，以冠百氏。然則鬻惟文友，李實孔師，聖賢并世，而經子异流矣。

逮及七國力政，俊乂蜂起。孟軻膺儒以磬折，莊周述道以翱翔；墨翟執儉确之教，尹文課名實之符；野老治國於地利，騶子養政於天文，申商刀鋸以制理，鬼谷唇吻以策勛；尸佼兼總於雜術，青史曲綴以街談。承流而枝附者，不可勝算。并飛辯以馳術，饜禄而餘榮矣。暨於暴秦烈火，勢炎崐岡，而煙燎之毒，不及諸子。逮漢成留思，子政讎校，於是《七略》芬菲，九流鱗萃，殺青所編，百有八十餘家矣。迄至魏晋，作者間出，讕言兼存，瑣語必録，類聚而求，亦充箱照軫矣。然繁辭雖積，而本體易總，述道言治，枝條五經。其純粹者入矩，踳駁者出規。《禮記·月令》，取乎呂氏之紀；三年問喪，寫乎《荀子》之書：此純粹之類也。若乃湯之問棘，云蚊睫有雷霆之聲；惠施對梁王，云蝸角有伏尸之戰；《列子》有移山跨海之談，《淮南》有傾天折地之説：此踳駁之類也。是以世疾諸，混同虛誕。按《歸藏》之經，大明迂怪，乃稱羿弊十日，嫦娥奔月。殷湯如兹，况諸子乎！至如商韓，六蝨五蠹，弃孝廢仁，轘藥之禍，非虛至也。公孫之白馬孤犢，辭巧理拙，魏牟比之鴞鳥，非妄貶也。昔東平求諸子、《史記》，而漢朝不與。蓋以《史記》多兵謀，而諸子雜詭術也。然洽聞之士，宜撮綱要，覽華而食實，弃邪而採正，極睇參差，亦學家之壯觀也。

研夫孟、荀所述，理懿而辭雅；管、晏屬篇，事核而言練；列御寇之書，氣偉而采奇；鄒子之説，心奢而辭壯；墨翟、隨巢，意顯而語質；尸佼、尉繚，術通而文鈍；鶡冠綿綿，亟發深言；鬼谷眇眇，每環奥義；情辨以澤，文子擅其能；辭約而精，尹文得其要；慎到析密理之巧，韓非著博喻之富；吕氏鑒遠而體周，淮南泛採而文麗：斯則得百氏之華采，而辭氣文之大略也。

若夫陸賈《典語》，賈誼《新書》，揚雄《法言》，劉向《説苑》，王符《潛夫》，崔寔《政論》，仲長《昌言》，杜夷《幽求》，咸叙經典，或明政術，雖標論名，歸乎諸子。何者？博明萬事爲子，適辨一理爲論，彼皆蔓延雜説，故入諸子之流。夫自六國以前，去聖未遠，故能越世高談，自開户牖。兩漢以後，體勢漫弱，雖明乎坦途，而類多依採，此遠近之漸變也。嗟夫！身與時舛，志共道申，標心於萬古之上，而送懷於千載之下，金石靡矣，聲其銷乎！

贊曰：大夫處世，懷寶挺秀。辨雕萬物，智周宇宙。立德何隱，含道必授。條流殊述，若有區囿。

論説第十八

聖哲彝訓曰經，述經叙理曰論。論者，倫也；倫理無爽，則聖意不墜。昔仲尼微言，門人追記，故仰其經目，稱爲《論語》。蓋群論立名，始於兹矣。自《論語》已前，經無『論』字；《六韜》二論，後人追題乎！詳觀論體，條流多品：陳政則與議説合契，釋經則與傳注參體，辨史則與贊評齊行，銓文則與叙引共紀。故議者宜言，説者説語，傳者轉師，注者主解，贊者明意，評者平理，序者次事，引者胤辭：八名區分，一揆宗論。論也者，彌綸群言，而研精一理者也。是以莊周《齊物》，以論爲名；不韋《春秋》，六論昭列；至《石渠》論藝，《白虎》通講，聚述聖言通經，論家之正體也。及班彪《王命》，嚴尤《三將》，敷述昭情，善入史體。魏之初霸，術兼名法；傅嘏、王粲，校練名理。迄至正始，務欲守文；何晏之徒，始盛玄論。於是聃周當路，與尼父争塗矣。詳觀蘭石之《才性》，仲宣之《去代》，叔夜之《辨聲》，太初之《本玄》，輔嗣之《兩例》，平叔之二論，并師心獨見，鋒穎精密，蓋人倫之英也。至如李康《運命》，同《論衡》而過之；陸機《辨亡》，效《過秦》而不及；然亦其美矣。次及宋岱、郭象，鋭思於幾神之區；夷甫、裴頠，交辨於有無之域：并獨步當時，流聲後代。然滯有者，全繫於形用；貴無者，專守於寂寥：徒鋭偏解，莫詣正理；動極神源，其般若之絶境乎？逮江左群談，惟玄是務；雖有日新，而多抽前緒矣。至如張衡《譏世》，韻似俳説；孔融《孝廉》，但談嘲戲；曹植《辨道》，體同書抄：言不持正，論如其已。原夫論之爲體，所以辨正然否，窮于有數，追于無形，迹堅求通，鈎深取極；乃百慮之筌蹄，萬事之權衡也。故其義貴圓通，辭忌枝碎，必使心與理合，彌縫莫見其隙；辭共心密，敵人不知所乘：斯其要也。是以論如析薪，貴能破理。斤利者，越理而横斷；辭辨者，反義而取通：覽文雖巧，而檢迹如妄。唯君子能通天下之志，安可以曲論哉？若夫注釋爲詞，解散論體，雜文雖异，總會是同。若秦延君之注《堯典》，十餘萬字；朱普之解《尚書》，三十萬言：所以通人惡煩，羞學章句。若毛公之訓《詩》，安國之傳《書》，鄭君之釋《禮》，王弼之解《易》，要約明暢，可爲式矣。

説者，悦也；兑爲口舌，故言咨悦懌；過悦必僞，故舜驚讒説。説之善者，伊尹以論味隆殷，太公以辨釣興周，及燭武行而紓鄭，端木出而存魯，亦其美也。暨戰國爭雄，辨士雲踊；從横參謀，長短角勢；轉丸騁其巧辭，飛鉗伏其精術。一人之辨，重於九鼎之寶；三寸之舌，强於百萬之師。六印磊落以佩，五都隱賑而封。至漢定秦楚，辨士弭節，酈君既斃於齊鑊，蒯子幾入乎漢鼎。雖復陸賈籍甚，張釋傅會，杜欽文辨，樓護唇舌，頡頏萬乘之階，抵嘘公卿之席，并順風以託勢，莫能逆波而泝洄矣。夫説貴撫會，弛張相隨，不專緩頰，亦在刀筆。范雎之言事，李斯之止逐客，并煩情入機，動言中務，雖批逆鱗，而功成計合，此上書之善説也。至於鄒陽之説吴梁，喻巧而理至，故雖危而無咎矣。敬通之説鮑鄧，事緩而文繁，所以歷騁而罕遇也。凡説之樞要，必使時利而義貞；進有契於成務，退無阻於榮身。自非譎敵，則唯忠與信。披肝膽以獻主，飛文敏以濟辭，此説之本也。而陸氏直稱説煒曄以譎誑，何哉？

贊曰：理形於言，叙理成論。詞深人天，致遠方寸。陰陽莫貳，鬼神靡遁。説爾飛鉗，呼吸沮勸。

詔策第十九

皇帝御宇，其言也神。淵嘿黼扆，而響盈四表，唯詔策乎！昔軒轅唐虞，同稱爲命。命之爲義，制性之本也。其在三代，事兼誥誓。誓以訓戎，誥以敷政，命喻自天，故授官錫胤。《易》之《姤》象：『后以施命誥四方。』誥命動民，若天下之有風矣。降及七國，并稱曰令。令者，使也。秦并天下，改命曰制。漢初定儀則，則命有四品：一曰策書，二曰制書，三曰詔書，四曰戒敕。敕戒州部，詔誥百官，制施赦命，策封王侯。策者，簡也。制者，裁也。詔者，告也。敕者，正也。《詩》云『畏此簡書』，《易》稱『君子以制度數』，《禮》稱『明君之詔』，《書》稱『敕天之命』，并本經典以立名目。遠詔近命，習秦制也。《記》稱『絲綸』，所以應接群后。虞重納言，周貴喉舌，故兩漢詔誥，職在尚書。王言之大，動入史策，其出如綍，不反若汗。是以淮南有英才，武帝使相如視草；隴右多文士，光武加意於書辭：豈直取美當時，亦敬慎來葉矣。觀文景以前，詔體浮新，武帝崇儒，選言弘奥。策封三王，文同訓典；勸戒淵雅，垂範後代；及制誥嚴助，即云『厭承明廬』，蓋寵才之恩也。孝宣璽書，賜太守陳遂，亦故舊之厚也。逮光武撥亂，留意斯文，而造次喜怒，時或偏濫。詔賜鄧禹，稱司徒爲堯；敕責侯霸，稱黄鉞一下：若斯之類，實乖憲章。暨明帝崇學，雅詔間出。安和政弛，禮閣鮮才，每爲詔敕，假手外請。建安之末，文理代興，潘勖九錫，典雅逸群；衛覬禪誥，符命炳耀，弗可加已。自魏晉誥策，職在中書，劉放張華，互管斯任，施命發號，洋洋盈耳。魏文帝下詔，辭義多偉，至於作威作福，其萬慮之一弊乎！晉氏中興，唯明帝崇才，以温嶠文清，故引入中書。自斯以後，體憲風流矣。夫王言崇秘，大觀在上，所以百辟其刑，萬邦作孚。故授官選賢，則義炳重離之輝；優文封策，則氣含風雨之潤；敕戒恒誥，則筆吐星漢之華；治戎燮伐，則聲有洊雷之威；眚灾肆赦，則文有春露之滋；明罰敕法，則辭有秋霜之烈：此詔策之大略也。戒敕爲文，實詔之切者，周穆命郊父受敕憲，此其事也。魏武稱作敕戒，當指事而語，勿得依違，曉治要矣。及晉武敕戒，備告百官；敕都督以兵要，戒州牧以董司，警郡守以恤隱，勒牙門以禦衛，有訓典焉。

戒者，慎也，禹稱『戒之用休』。君父至尊，在三罔極。漢高祖之《敕太子》，東方朔之《戒子》，亦顧命之作也。及馬援已下，各貽家戒。班姬《女戒》，足稱母師矣。教者，效也，出言而民效也。契敷五教，故王侯稱教。昔鄭弘之守南陽，條教爲後所述，乃事緒明也；孔融之守北海，文教麗而罕於理，乃治體乖也。若諸葛孔明之詳約，庾稚恭之明斷，并理得而辭中，教之善也。自教以下，則又有命。《詩》云『有命在天』，明爲重也；《周禮》曰『師氏詔王』，爲輕命。今詔重而命輕者，古今之變也。

贊曰：皇王施令，寅嚴宗誥。我有絲言，兆民尹好。輝音峻舉，鴻風遠蹈。騰義飛辭，渙其大號。

檄移第二十

震雷始於曜電，出師先乎威聲。故觀電而懼雷壯，聽聲而懼兵威。兵先乎聲，其來已久。昔有虞始戒於國，夏后初誓於軍，殷誓軍門之外，周將交刃而誓之。故知帝世戒兵，三王誓師，宣訓我衆，未及敵人也。至周穆西征，祭公謀父稱『古有威讓之令，令有文告之辭』，即檄之本源也。及春秋征伐，自諸侯出，懼敵弗服，故兵出須名，振此威風，暴彼昏亂，劉獻公之所謂『告之以文辭，董之以武師』者也。齊桓征楚，詰苞茅之闕；晉厲伐秦，責箕郜之焚；管仲、呂相，奉辭先路，詳其意義，即今之檄文。暨乎戰國，始稱爲檄。檄者，皦也。宣露於外，皦然明白也。張儀《檄楚》，書以尺二，明白之文，或稱露布，播諸視聽也。夫兵以定亂，莫敢自專，天子親戎，則稱『恭行天罰』;諸侯御師,則云『肅將王誅』。故分閫推轂，奉辭伐罪，非唯致果爲毅，亦且厲辭爲武。使聲如衝風所擊，氣似欃槍所掃，奮其武怒，總其罪人，懲其惡稔之時，顯其貫盈之數，搖奸宄之膽，訂信慎之心，使百尺之衝，摧折於咫書，萬雉之城，顛墜於一檄者也。觀隗囂之檄亡新，布其三逆，文不雕飾，而辭切事明，隴右文士，得檄之體矣。陳琳之檄豫州，壯有骨鯁，雖奸閹携養，章密太甚，發丘摸金，誣過其虐；然抗辭書釁，皦然露骨矣。敢指曹公之鋒，幸哉免袁黨之戮也。鍾會檄蜀，徵驗甚明；桓公檄胡，觀釁尤切，并壯筆也。凡檄之大體，或述此休明，或叙彼苛虐，指天時，審人事，算强弱，角權勢，標蓍龜于前驗，懸鞶鑒于已然，雖本國信，實參兵詐。譎詭以馳旨，煒曄以騰説，凡此衆條，莫或違之者也。故其植義揚辭，務在剛健，插羽以示迅，不可使辭緩；露板以宣衆，不可使義隱。必事昭而理辨，氣盛而辭斷，此其要也。若曲趣密巧，無所取才矣。又州郡徵吏，亦稱爲檄，固明舉之義也。

移者，易也；移風易俗，令往而民隨者也。相如之《難蜀老》，文曉而喻博，有移檄之骨焉。及劉歆之《移太常》，辭剛而義辨，文移之首也。陸機之《移百官》，言約而事顯，武移之要者也。故檄移爲用，事兼文武，其在金革，則逆黨用檄，順命資移；所以洗濯民心，堅同符契，意用小异，而體義大同，與檄參伍，故不重論也。

贊曰：三驅弛剛，九伐先話。鞶鑒吉凶，蓍龜成敗。惟壓鯨鯢，抵落蜂蠆。移寶易俗，草偃風邁。

封禪第二十一

夫正位北辰，嚮明南面，所以運天樞，毓黎獻者，何嘗不經道緯德，以勒皇迹者哉？《録圖》曰：『潬潬噅噅，棼棼雉雉，萬物盡化。』言至德所被也。《丹書》曰：『義勝欲則從，欲勝義則凶。』戒慎之至也。則戒慎以崇其德，至德以凝其化，七十有二君，所以封禪矣。

昔黄帝神靈，克膺鴻瑞，勒功喬岳，鑄鼎荆山。大舜巡岳，顯乎《虞典》。成康封禪，聞之《樂緯》。及齊桓之霸，爰窺王迹，夷吾譎陳，距以怪物。固知玉牒金鏤，專在帝皇也。然則西鶼東鰈，南茅北黍，空談非徵，勛德而已。是史遷八書，明述封禪者，固禋祀之殊禮，名號之秘祝，祀天之壯觀矣。秦皇銘岱，文自李斯，法家辭氣，體乏弘潤；然疎而能

壯，亦彼時之絶采也。鋪觀兩漢隆盛，孝武禪號於肅然，光武巡封於梁父，誦德銘勛，乃鴻筆耳。觀相如《封禪》，蔚爲唱首。爾其表權輿，序皇王，炳元符，鏡鴻業，驅前古於當今之下，騰休明於列聖之上，歌之以禎瑞，讚之以介丘，絶筆兹文，固維新之作也。及光武勒碑，則文自張純。首胤典謨，末同祝辭，引鉤讖，叙離亂，計武功，述文德，事核理舉，華不足而實有餘矣。凡此二家，并岱宗實迹也。及揚雄《劇秦》，班固《典引》，事非鐫石，而體因紀禪。觀《劇秦》爲文，影寫長卿，詭言遁辭，故兼包神怪。然骨掣靡密，辭貫圓通，自稱極思，無遺力矣。《典引》所叙，雅有懿乎，歷鑒前作，能執厥中，其致義會文，斐然餘巧。故稱《封禪》麗而不典，《劇秦》典而不實，豈非追觀易爲明，循勢易爲力歟？至於邯鄲《受命》，攀響前聲，風末力寡，輯韻成頌，雖文理順序，

而不能奮飛。陳思《魏德》，假論客主，問答迂緩，且已千言，勞深勣寡，飆焰缺焉。

兹文爲用，蓋一代之典章也。構位之始，宜明大體，樹骨於訓典之區，選言於宏富之路；使意古而不晦於深，文今而不墜於淺，義吐光芒，辭成廉鍔，則爲偉矣。雖復道極數殫，終然相襲，而日新其采者，必超前轍焉。

贊曰：封勒帝勣，對越天休。逖聽高岳，聲英克彪。樹石九旻，泥金八幽。鴻律蟠采，如龍如虬。

章表第二十二

夫設官分職，高卑聯事。天子垂珠以聽，諸侯鳴玉以朝。敷奏以言，明試以功。故堯咨四岳，舜命八元，固辭再讓之請，俞往欽哉之授，并陳辭帝庭，匪假書翰。然則敷奏以言，則章表之義也；明試以功，即授爵之典也。至太甲既立，伊尹書誡，思庸歸亳，又作書以讚。文翰獻替，事斯見矣。周監二代，文理彌盛，再拜稽首，對揚休命，承文受册，敢當丕顯，雖言筆未分，而陳謝可見。降及七國，未變古式，言事於主，皆稱上書。秦初定制，改書曰奏。漢定禮儀，則有四品：一曰章，二曰奏，三曰表，四曰議。章以謝恩，奏以按劾，表以陳請，議以執异。章者，明也。《詩》云『爲章於天』，謂文明也；其在文物，赤白曰章。表者，標也。《禮》有《表記》，謂德見於儀；其在器式，揆景曰表。章表之目，蓋取諸此也。按《七略》、《藝文》，謠詠必録；章表奏議，經國之樞機，然闕而不纂者，乃各有故事，而在職司也。前漢表謝，遺篇寡存。及後漢察舉，必試章奏。左雄奏議，臺閣爲式；胡廣章奏，天下第一：并當時之傑筆也。觀伯始謁陵之章，足見其典文之美焉。昔晉文受册，三辭從命，是以漢末讓表，以三爲斷。曹公稱『爲表不必三讓』，又『勿得浮華』。所以魏初表章，指事造實，求其靡麗，則未足美矣。至於文舉之薦禰衡，氣揚采飛；孔明之辭後主，志盡文暢：雖華實异旨，并表之英也。琳瑀章表，有譽當時；孔璋稱健，則其標也。陳思之表，獨冠群才。觀其體贍而律調，辭清而志顯，應物掣巧，隨變生趣，執轡有餘，故能緩急應節矣。逮晉初筆札，則張華爲儁。其三讓公封，理周辭要，引義比事，必得其偶，世珍《鷦鷯》，莫顧章表。及羊公之辭開府，有譽於前談；庾公之讓中書，信美於往載：序志聯類，有文雅焉。劉琨《勸進》，張駿《自序》，文致耿介，并陳事之美表也。

原夫章表之爲用也，所以對揚王庭，昭明心曲。既其身文，且亦國華。章以造闕，風矩應明；表以致禁，骨采宜耀：循名課實，以章爲本者也。是以章式炳賁，志在典謨；使要而非略，明而不淺。表體多包，情僞屢遷，必雅義以扇其風，清文以馳其麗。然懇惻者辭爲心使，浮侈者情爲文使，繁約得正，華實相勝，唇吻不滯，則中律矣。子貢云『心以制之，言以結之』，蓋一辭意也。荀卿以爲『觀人美辭，麗於黼黻文章』，亦可以喻於斯乎！

贊曰：敷表降闕，獻替黼扆。言必貞明，義則弘偉。肅恭節文，條理首尾。君子秉文，辭令有斐。

奏啓第二十三

昔唐虞之臣，敷奏以言；秦漢之輔，上書稱奏。陳政事，獻典儀，上急變，劾愆謬，總謂之奏。奏者，進也。言敷于下，情進于上也。秦始立奏，而法家少文。觀王綰之奏勛德，辭質而義近；李斯之奏驪山，事略而意逕：政無膏潤，形於篇章矣。自漢以來，奏事或稱『上疏』，儒雅繼踵，殊采可觀。若夫賈誼之務農，鼂錯之兵事，匡衡之定郊，王吉之觀禮，温舒之緩獄，谷永之諫仙，理既切至，辭亦通暢，可謂識大體矣。後漢群賢，嘉言罔伏。楊秉耿介於灾异，陳蕃憤懑於尺一，骨鯁得焉；張衡指摘於史職，蔡邕銓列於朝儀，博雅明焉。魏代名臣，文理迭興。若高堂天文，王觀教學，王朗節省，甄毅考課，亦盡節而知治矣。晉氏多難，灾屯流移，劉頌殷勤於時務，温嶠懇惻於費役，并體國之忠規矣。夫奏之爲筆，固以明允篤誠爲本，辨析疏通爲首。强志足以成務，博見足以窮理，酌古御今，治繁總要，此其體也。若乃按劾之奏，所以明憲清國。昔周之太僕，繩愆糾謬；秦之御史，職主文法；漢置中丞，總司按劾；故位在鷙擊，砥礪其氣，必使筆端振風，簡上凝霜者也。觀孔光之奏董賢，則實其奸回；路粹之奏孔融，則誣其釁惡：名儒之與險士，固殊心焉。若夫傅咸勁直，而按辭堅深；劉隗切正，而劾文闊略：各其志也。後之彈事，迭相斟酌，惟新日用，而舊準弗差。然函人欲全，矢人欲傷，術在糾惡，勢必深峭。《詩》刺讒人，投畀豺虎；《禮》疾無禮，方之鸚猩；墨翟非儒，目以豕彘；孟軻譏墨，比諸禽獸；《詩》《禮》儒墨，既其如兹，奏劾嚴文，孰云能免。是以世人爲文，競於詆訶，吹毛取瑕，次骨爲戾，復似善罵，多失折衷。若能闢禮門以懸規，標義路以植矩，然後踰垣者折肱，捷徑者滅趾，何必躁言醜句，詬病爲切哉！是以立範運衡，宜明體要；必使理有典刑，辭有風軌，總法家之式，秉儒家之文，不畏强禦，氣流墨中，無縱詭隨，聲動簡外，乃稱絶席之雄，直方之舉耳。

啓者開也。高宗云『啓乃心，沃朕心』，取其義也。孝景諱啓，故兩漢無稱。至魏國箋記，始云啓聞。奏事之末，或云『謹啓』。自晋來盛啓，用兼表奏。陳政言事，既奏之异條；讓爵謝恩，亦表之别幹。必斂飭入規，促其音節，辨要輕清，文而不侈，亦啓之大略也。又表奏確切，號爲讜言。讜者，偏也。王道有偏，乖乎蕩蕩，(此处有脱字)其偏，故曰讜言也。孝成稱班伯之讜言，貴直也。自漢置八儀，密奏陰陽，皂囊封板，故曰封事。鼂錯受書，還上便宜。後代便宜，多附封事，慎機密也。夫王臣匪躬，必吐謇諤，事舉人存，故無待泛說也。

贊曰：皂飭司直，肅清風禁。筆銳干將，墨含淳酖。雖有次骨，無或膚浸。獻政陳宜，事必勝任。

議對第二十四

『周爰諮謀』，是謂爲議。議之言宜，審事宜也。《易》之《節卦》：『君子以制度數議德行。』《周書》曰：『議事以制，政乃弗迷。』議貴節制，經典之體也。昔管仲稱軒轅有明臺之議，則其來遠矣。洪水之難，堯咨四岳，宅揆之舉，舜疇五人；三代所興，詢及芻蕘。春秋釋宋，魯桓務議。及趙靈胡服，而季父争論；商鞅變法，而甘龍交辨：雖憲章無算，而同异足觀。迄至有漢，始立駁議。駁者，雜也；雜議不純，故曰駁也。自兩漢文明，楷式昭備，藹藹多士，發言盈庭；若賈誼之遍代諸生，可謂捷於議也。至如主父之駁挾弓，安國之辨匈奴，賈捐之之陳于朱崖，劉歆之辨於祖宗：雖質文不同，得事要矣。若乃張敏之斷輕侮，郭躬之議擅誅，程曉之駁校事，司馬芝之議貨錢，何曾蠲出女之科，秦秀定賈充之謚：事實允當，可謂達議體矣。漢世善駁，則應劭爲首；晉代能議，則傅咸爲宗。然仲瑗博古，而銓貫有叙；長虞識治，而屬辭枝繁；及陸機斷議，亦有鋒穎，而諛辭弗剪，頗累文骨：亦各有美，風格存焉。夫動先擬議，明用稽疑，所以敬慎群務，弛張治術。故其大體所資，必樞紐經典，採故實於前代，觀通變於當今；理不謬摇其枝，字不妄舒其藻。又郊祀必洞於禮，戎事必練於兵，田穀先曉於農，斷訟務精於律。然後標以顯義，約以正辭。文以辨潔爲能，不以繁縟爲巧；事以明核爲美，不以深隱爲奇：此綱領之大要也。若不達政體，而舞筆弄文，支離構辭，穿鑿會巧，空騁其華，固爲事實所擯，設得其理，亦爲遊辭所埋矣。昔秦女嫁晉，從文衣之媵，晉人貴媵而賤女；楚珠鬻鄭，爲薰桂之櫝，鄭人買櫝而還珠。若文浮於理，末勝其本，則秦女楚珠，復存於兹矣。

又對策者，應詔而陳政也；射策者，探事而獻説也。言中理準，譬射侯中的，二名雖殊，即議之別體也。古之造士，選事考言。漢文中年，始舉賢良，鼂錯對策，蔚爲舉首。及孝武益明，旁求俊乂，對策者以第一登庸，射策者以甲科入仕，斯固選賢要術也。觀鼂氏之對，證驗古今，辭裁以辨，事通而贍，超升高第，信有徵矣。仲舒之對，祖述《春秋》，本陰陽之化，究列代之變，煩而不慁者，事理明也。公孫之對，簡而未博，然總要以約文，事切而情舉，所以太常居下，而天子擢上也。杜欽之對，略而指事，辭以治宣，不爲文作。及後漢魯丕，辭氣質素，以儒雅中策，獨入高第。凡此五家，并前代之明範也。魏晉已來，稍務文麗，以文紀實，所失已多，及其來選，又稱疾不會，雖欲求文，弗可得也。是以漢飲博士，而雉集乎堂；晉策秀才，而麏興於前：無他怪也，選失之异耳。

夫駁議偏辨，各執异見；對策揄揚，大明治道。使事深於政術，理密於時務，酌三五以鎔世，而非迂緩之高談；馭權變以拯俗，而非刻薄之僞論；風恢恢而能遠，流洋洋而不溢，王庭之美對也。難矣哉，士之爲才也！或練治而寡文，或工文而疏治，對策所選，實屬通才，志足文遠，不其鮮歟！

贊曰：議惟疇政，名實相課。斷理必綱，擒辭無懦。對策王庭，同時酌和。治體高秉，雅謨遠播。

書記第二十五

大舜云：『書用識哉！』所以記時事也。蓋聖賢言辭，總爲之書，書之爲體，主言者也。揚雄曰：『言，心聲也；書，心畫也。聲畫形，君子小人見矣。』故書者，舒也。舒布其言，陳之簡牘，取象於夬，貴在明決而已。三代政暇，文翰頗疎。春秋聘繁，書介彌盛：繞朝贈士會以策，子家與趙宣以書，巫臣之遺子反，子産之諫范宣，詳觀四書，辭若對面。又子服敬叔進弔書于滕君，固知行人挈辭，多被翰墨矣。及七國獻書，詭麗輻輳；漢來筆札，辭氣紛紜。觀史遷之《報任安》，東方朔之《難公孫》，楊惲之《酬會宗》，子雲之《答劉歆》，志氣槃桓，各含殊采，并杼軸乎尺素，抑揚乎寸心。逮後漢書記，則崔瑗尤善。魏之元瑜，號稱翩翩；文舉屬章，半簡必録；休璉好事，留意詞翰：抑其次也。嵇康《絶交》，實志高而文偉矣；趙至叙離，乃少年之激切也。至如陳遵占辭，百封各意；禰衡代書，親疎得宜：斯又尺牘之偏才也。詳總書體，本在盡言，言以散鬱陶，託風采，故宜條暢以任氣，優柔以懌懷。文明從容，亦心聲之獻酬也。若夫尊貴差序，則肅以節文。戰國以前，君臣同書，秦漢立儀，始有表奏。王公國内，亦稱奏書，張敞奏書於膠后，其義美矣。迄至後漢，稍有名品，公府奏記，而郡將奏牋。記之言志，進己志也。牋者，表也，表識其情也。崔寔奏記於公府，則崇讓之德音矣；黄香奏牋於江夏，亦肅恭之遺式矣。公幹牋記，麗而規益，子桓弗論，故世所共遺；若略名取實，則有美於爲詩矣。劉廙謝恩，喻切以至；陸機自理，情周而巧：牋之爲善者也。原牋記之爲式，既上窺乎表，亦下睨乎書，使敬而不懾，簡而無傲，清美以惠其才，彪蔚以文其響，蓋箋記之分也。

夫書記廣大，衣被事體，筆札雜名，古今多品。是以總領黎庶，則有譜籍簿録；醫歷星筮，則有方術占試；申憲述兵，則有律令法制；朝市徵信，則有符契券疏；百官詢事，則有關刺解牒；萬民達志，則有狀列辭諺：并述理於心，著言於翰，雖藝文之末品，而政事之先務也。

故謂譜者，普也。注序世統，事資周普，鄭氏譜《詩》，蓋取乎此。

籍者，借也。歲借民力，條之於版，春秋司籍，即其事也。

簿者，圃也。草木區别，文書類聚，張湯、李廣，爲吏所簿，别情僞也。

録者，領也。古史世本，編以簡策，領其名數，故曰録也。

方者，隅也。醫藥攻病，各有所主，專精一隅，故藥術稱方。

術者，路也。算歷極數，見路乃明，《九章》積微，故以爲術，《淮南》、《萬畢》，皆其類也。

占者，覘也。星辰飛伏，伺候乃見，精觀書雲，故曰占也。

式者，則也。陰陽盈虛，五行消息，變雖不常，而稽之有則也。

律者，中也。黄鐘調起，五音以正，法律馭民，八刑克平，以律爲名，取中正也。

令者，命也。出命申禁，有若自天，管仲下命如流水，使民從也。

法者，象也。兵謀無方，而奇正有象，故曰法也。

制者，裁也。上行於下，如匠之制器也。

符者，孚也。徵召防僞，事資中孚。三代玉瑞，漢世金竹，末代從省，易以書翰矣。

契者，結也。上古純質，結繩執契。今羌胡徵數，負販記緡，其遺風歟！

券者，束也。明白約束，以備情僞，字形半分，故周稱判書。古有鐵券，以堅信誓，王褒髯奴，則券之楷也。

疏者，布也。布置物類，撮題近意，故小券短書，號爲疏也。

關者，閉也。出入由門，關閉當審；庶務在政，通塞應詳。韓非云：『孫亶回聖相也，而關於州部。』蓋謂此也。

刺者，達也。詩人諷刺，周禮三刺，事叙相達，若針之通結矣。

解者，釋也。解釋結滯，徵事以對也。

牒者，葉也。短簡編牒，如葉在枝，温舒截蒲，即其事也。議政未定，故短牒咨謀。牒之尤密，謂之爲籤。籤者，纖密者也。

狀者，貌也。體貌本原，取其事實，先賢表謚，并有行狀，狀之大者也。

列者，陳也。陳列事情，昭然可見也。

辭者，舌端之文，通己於人。子産有辭，諸侯所賴，不可已也。

諺者，直語也。喪言亦不及文，故弔亦稱諺。廛路淺言，有實無華。鄒穆公云『囊滿儲中』，皆其類也。《太誓》曰：『古人有言，牝雞無晨。』《大雅》云『人亦有言』、『惟憂用老』。并上古遺諺，《詩》《書》可引者也。至於陳琳諫辭，稱『掩目捕雀』；潘岳哀辭，稱『掌珠』、『伉儷』：并引俗説而爲文辭者也。夫文辭鄙俚，莫過於諺，而聖賢《詩》

《書》，採以爲談，况踰於此，豈可忽哉！

觀此四條，并書記所總：或事本相通，而文意各异，或全任質素，或雜用文綺，隨事立體，貴乎精要；意少一字則義闕，句長一言則辭妨，并有司之實務，而浮藻之所忽也。然才冠鴻筆，多踈尺牘，譬九方堙之識駿足，而不知毛色牝牡也。言既身文，信亦邦瑞，翰林之士，思理實焉。

贊曰：文藻條流，託在筆札。既馳金相，亦運木訥。萬古聲薦，千里應拔。庶務紛綸，因書乃察。